Madame
Poipoi
Monsieur
Henri
Gino
Marto
Rémi
Lepoivre
Adrien
Dubouchon
Mélan
Lano

Tom-Tom et Nana

Et que ça saute !

Scénario : Jacqueline Cohen et Evelyne Reberg

Dessins : Bernadette Després - Couleurs : Catherine Legrand

Dix-huitième édition, novembre 2009

ISBN : 978-2-7470-1390-1
Dépôt légal : janvier 2004

Imprimé en Pologne

Un déguisement à croquer

Oh! Les super-costumes!

Et toi, en quoi tu te déguises?
Ben! Ça ne se voit pas?

... En homme grenouille!
Euh...

C'est bête, il me manque une palme!

Hi! Hi! Tu serais une grenouille unijambiste!
Pfff...

Attendez, j'ai une autre idée!

157.2

Tom-Tom et Nana : et que ça saute !
Grouille-toi, on est invité à 2 heures !
Abracadabra !
Pffff !
Est-ce que j'ai bien l'air du Prince Charmant sur son cheval blanc ?
Euh...
Tu ressembles plutôt à une sorcière !
Oh, vous m'énervez !
J'ai une autre idée ! Là, je vais vous épater !...
157-3

Alors, en quoi je suis déguisé?
Super! En capitaine des pirates!
Bravo!
TOC!
TOC!
A l'abordage! On va chez Sophie Moulinet!
ZIIIP!
Badaboum! BOUM! BOUM!
AAAÏE!
157.4

J'ai cassé ma jambe de bois !
Oh ! Et puis j'en ai assez de cette histoire !
D'abord, vous êtes ridicules avec vos costumes tout faits ! Je parie qu'il y aura 10 Batman et 50 infirmières !...
Ben, puisque c'est comme ça...
On s'en va !
157-5

Je m'en fiche, je n'irai pas à cet anniversaire... Cette Sophie Moulinet, elle m'agace! Elle sera sûrement déguisée en fée comme d'habitude...

... Comme si on ne pouvait pas s'habiller normalement!

De toute façon, je suis bien plus tranquille à la maison!

Tom-Tom!! Viens ici, dépêche-toi!
Vite!
?

157.6

Le gâteau est prêt! Tu n'as plus qu'à l'emporter!
Mais...
Bon Anniversaire à la jolie SOPHIE
...Je n'y vais pas, moi, à cet anniversaire!
Comment ça?! Tu es invité!...
157-7

...Et j'ai promis ce gâteau géant à madame Moulinet!
Tu n'as qu'à le porter toi-même!
Pas question! Ce gâteau n'ira pas chez les Moulinet, sans toi!
Bon, d'accord, j'y vais, mais...
...Je repartirai tout de suite!
C'est ça, C'est ça...
157-8

Courage ! Tu n'as que la cour à traverser !
Pourvu que le plateau tienne le coup !
Crri...
Crac !
Vite ! Ouvrez !
Mr et Mme Moulinet
CRAC !
Ooooh !
Oh ! Quel beau costume !
Qui c'est ?
Qui c'est ?
157.9

Scénario : J. Cohen et E. Reberg - Dessins : B. Després - Couleurs : C. Legrand

Le "Bougonia-gigantica"

Madame Kellmer!!
Je vous apporte mon cadeau de printemps...

Un "Bougonia-gigantica"!!!

Epatant, n'est-ce pas, pour décorer le restaurant?!
Aaaaïe!!!
Euh... mais... c'est que...

...Nous n'avons absolument pas de place!

Allons! Je vais vous en trouver, moi!

148-2

Soyez gentils ! Poussez-vous, tassez-vous...
Ça pique !
Voilà ! Il sera très bien ici...
Personne ne le gênera !
Aïe !
Et qui s'occupera du beau Bougonia ?
Nous, nous !
Suivez bien les instructions, et il vivra 100 ans !
100 ans !!
Chouette !
Je passerai le voir de temps en temps !
148-3

Quelle tuile!
J'espère qu'il n'est pas venimeux... Je ne suis pas vacciné!

En tout cas, il ne va pas être facile à soigner, cet animal!

Et le lendemain...
Au boulot!
ENGRAIS NATUREL

Ce n'est rien du tout le jardinage quand on est bien équipé!

Arrosage... Dépoussiérage...
Hé! Attention!!!
Ça devient dangereux, par ici...

Petite lotion de beauté...
PSSSHiiii!
LOTION
Toute la pluie tombe sur moi!
PSSSHiiii!
Qu'est-ce qui se passe?!
Smack!
Je vais le couper en morceaux, ce Bougonia de malheur!
Smack!
Non!! Surtout pas...
...C'est un cadeau! Et un cadeau, c'est sacré!
Mais quelques jours plus tard...
Dites donc, il a mauvaise mine le Bougonia!
Oh! On a oublié de l'arroser!
Il est toujours aussi féroce, en tout cas!
148-5

Troisième arrosoir... Ça devrait le requinquer!
Mince!!! Une feuille qui tombe!...

... Et madame Kellmer qui arrive!

Vite, une pomme!

Alors, comment va notre mignon Bougonia?

Ciel! Il manque une feuille!
(148-6)

Oui ... mais regardez!

Un fruit a poussé!
??

Ça alors! C'est la première fois que je vois un fruit de Bougonia-gigantica!
Ouf!
Peut-être qu'il se mange?

Et deux semaines après...
Mon Dieu! Le Bougonia tourne de l'oeil!!
Ah, bravo les enfants! On peut compter sur vous...
Oh, zut!

Pas de panique, on va tout arranger!

Ce coup-là, il faut mettre le paquet!
Je vais le dépoussiérer à fond!
148-7

Arrêtez, malheureux! Vous l'avez achevé!
Ben... Euh...

C'est la catastrophe!... Emmenez-le vite, et loin, très loin!
Dommage il est encore beau!...
148-8

Il n'y a plus qu'à prier pour que madame Kellmer se casse une jambe et ne vienne pas!

Tom-Tom et Nana: et que ça saute!

Trop tard... La voilà!
Malheur! Qu'est-ce que je vais pouvoir inventer?

Coucou, je viens dîner à l'ombre du...

Oh! Le Bougonia... où est-il??

Euh... les enfants l'ont emmené... ... euh... faire un tour dans le quartier!
Ah?

Ce n'est pas prudent, l'air est frais, je crains le pire!
Moi aussi...

Nous risquons d'avoir... une affreuse surprise!
Tant pis, j'attends!
Oh la, la!
148-9

Scénario : J. Cohen et E. Reberg - Dessins : B. Despré́s - Couleurs : C. Legrand

Le grand plongeon

N'empêche, l'autre jour, je l'ai vu à la piscine...
Il sait faire la planche !
HA ! HA ! La planche, c'est nul !
Tout le monde sait la faire...
SOLDES
Moi, je sais nager la brasse indienne !
C'est vrai ?
Parfaitement, il sait même nager le crawl... et le double crawl, mon frère !
Euh...
Et en plus, il fait le triple saut de la mort du haut du grand plongeoir !
C'est merveilleux !
Oh, là, là ! Pauvre Tom-Tom !
153-2

On va à la piscine ! Je veux voir ça !
Euh... Non, pas aujourd'hui ! J'ai un petit rhume !
Maman m'a interdit d'aller à la piscine !
Mais non ! Elle a dit que ça te ferait du bien !
En plus je n'ai pas de maillot !
Papa t'en a acheté un, il y a deux jours !
Et puis, j'ai plein de devoirs à faire !
Ça c'est vrai !
Alors, à demain ! C'est promis, on y va demain !
Oui... demain, ou après-demain ou...
158-3

Et le lendemain...
Hé, Tom-Tom ! Tu n'as pas oublié ?
Quoi ? La piscine ? Tu parles, c'est Sophie qui a oublié...
...Je la connais !
Tom-Tom, mon chéri ! Il y a une bonne surprise pour toi !
Je viens te chercher pour aller à la piscine !
HAAAA !
153-4

Voilà, mon lapin ! Toutes tes affaires sont dans ton sac !
Mais... euh...
Je prends les miennes ! J'y vais aussi !

A LA BONNE FOUR
CAFE - BAR - RESTAUR
Ne faites pas de bêtises, hein !
Non ! Tom-Tom va juste faire le triple saut de la mort !
C'est le plus fort mon frère !

Ha ! Ha ! Quelle blagueuse, cette petite Sophie !
Menu du Jour

153.5

J'ai prévenu tous les copains de l'école, mon cousin René, ma cousine Claudine, ma...
PISCINE MUNICI
Chouette! ça va faire du monde!

Catastrophe! J'ai perdu mon maillot de bain!
VESTIA
HOMM

Ce n'est pas grave mon coco, je peux t'en passer un!
Et voilà! Tu es sauvé!

VESTIAIRE
HOMMES

153-6

Tom-Tom et Nana : et que ça saute !

Ouille ! L'eau n'est pas à la bonne température !
Mais si, mais si, elle est délicieuse !
Tu sais quoi ?... Tom-Tom va sauter de là-haut !!
Oh !

Hé ! Ce n'est pas par là !
Tu dois monter par la grande échelle !
Ah, oui ! J'avais oublié !

153-8

Tom-Tom et Nana : et que ça saute !

Oh, quand je pense que tu vas peut-être mourir... Dépêche-toi !

Ouh, là, là ! J'ai le vertige !
Bon sang ! Veux-tu descendre de là-haut !
Attendez !! Il va faire le triple saut de la mort !
MAÎTRE NAGEUR

Reviens immédiatement ou je viens te chercher !
MAÎTRE NAGEUR

J'arrive !
Hein ? Oh !!!
BLAM !

(153.9)

Scénario : J. Cohen et E. Reberg - Dessins : B. Desprès - Couleurs : C. Legrand

Une bonne coupe

Mes pauvres enfants, Poussin me fait une crise...
...d'appendicite ?!
Non ! D'opposition !
VOYAGES
Il refuse d'aller se faire toiletter !
Ah ?
Pourtant, il a besoin d'une coupe !
Oui...
...Mais c'est comme nous ! On a horreur de se faire couper les cheveux !
150-2

Allons, Poussinou!
Sois raisonnable!

Tu seras si beau après...!
Hum... Je crois qu'avec vous il se laissera faire!

Tenez, voici l'argent! Et le nom de la boutique est sur ce papier...

Chez "Tou"...
Chut! Ne prononcez pas ce mot devant lui, ça le rend fou!

A tout à l'heure! Bonne promenade!
Allez Poussin, en route!
150-3

Au fait, on va où?
Je parie que c'est chez "Toutouchic"!
Non!
WAOU!!
Idiot, il ne fallait pas prononcer ce mot!
Oh zut, ça commence bien!
WOUA!
WOUA!
WOUA!
150.4

La laisse ! Appuie sur le bouton !!!
CLIC !

Mais non, ça serre encore plus !

Je t'assure, Poussin, on ne va pas chez "Toutouchic", on va à...

... à la charcuterie !
WAAH !!!
150-5

Mince ! Il y fonce tout droit !
Attends, Poussin ! Pas si vite !
BONG !
Il aurait pu faire des dégâts...
Ouf ! Heureusement que c'est fermé !
Hé... Regardez !
Ça tombe à pic ! C'est là, "Toutouch"...
Chut !
?!?
TOILETTAGE
43.02.6
CHAR
150-6

Et voilà ! C'est malin, il a tout compris !
Grrr...

Attendez, j'ai une ruse !

Toutou Chic
Regarde Poussin, tu seras joli comme ça si tu entres chez...
Tais-toi ! Ne le dis pas !

Mais non !...
... Si tu entres chez...
150-7

... Chez le coiffeur!
Oh!
WAAF!

Poussin! Poussin! Reviens!
Ah! J'ai lâché la laisse!

Ma parole, il connaît toutes les boutiques du quartier!
COUPE-CHIC
COIFFURE

Oh!
Poussin!
Entrez, entrez! C'est à vous, ce mignon gros toutou?
SALON PASCAL

(150.8)

Ne vous inquiètez pas! Laissez-le s'amuser...
Mais...
Pendant ce temps je m'occupe de vous!
C'est que...
Euh...
Laissez vous faire, vous n'allez plus vous reconnaître!
Hé bien, il va me faire mon ménage celui-là!
CLIC!
CLIC!
CLIC!
150-9

Un peu plus tard...
Ils ne vont pas tarder à arriver !
Les voilà !

Ça alors vous êtes allés chez le coiffeur !?
Et Poussin ?
Ben...

...Lui aussi ! Mais... c'est un peu moins réussi !
Oh !
MENU DU JOUR
FIN
150-10

Scénario : J. Cohen et E. Reberg - Dessins : B. Després - Couleurs : C. Legrand

Drôle d'odeur

Oh!! Il ne fallait pas vous décarcasser pour moi comme ça!
Euh... Mais...
Non, non!

Cette table n'est pas pour vous!

Votre place est là-bas comme d'habitude!
Oh!

Ah, je vois! Vous attendez cet affreux, ce snobinard, ce pantin de...

Chut!
Le voilà!
...Rech...mff!

152-2

Bonjour monsieur Rechignou !

Il vient une fois tous les 36 du mois et il a droit à tous les égards !
Ça me dégoûte !

Alors, tout se passe bien ? Il est content ?
Oui, oui ! Tout est parfait !
Maman, maman !...

...Il y a une odeur bizarre !
Oh, misère !
Sniff !... Mais... C'est vrai !!

(152-3)

Ça vient peut-être de ce truc en coquillages qu'on a remonté de la cave!
Je vais l'enlever!
Euh... excusez-moi!
Qu'est-ce qui se passe?
Rien, rien... J'ai vu un grain de poussière!
Mmmmm...
PLOF!
Sniff!
Ça continue! Heureusement qu'il ne s'aperçoit de rien!
Ça vient peut-être des fleurs?
152-4

Il ne sent rien ce bouquet !!
Je vais voir sous la table, il y a peut-être une souris morte !
Qu'est-ce qui se passe encore ?
Euh... rien ! Je ramasse une miette de pain !
Dites-donc, vous pourriez aérer !!!
Ça cocotte !
AAAATCHiii!!!
152-5

Refermez vite ! Vous voyez bien que je suis enrhumé !
CLAC !

C'est une chance, il a le nez bouché !

Et nous alors ?
Ça sent de plus en plus fort, c'est ignoble !
Faites cobbe nous !

Bettez des binces à linge !

Aïe ! Ça fait bal !

152-6

Et puis boi, je be debande si c'est pas la dourriture qui pue!
Ça c'est vrai! Ma morue sent le vieux poireau pourri!
... Et ma potée, le cafard écrabouillé!
On dirait qu'il y a eu une vieille chaussette dans ma purée!
Enfin! Vous faites des chichis!
Monsieur Rechignou mange tout, lui!
Excusez-moi, je n'ai pas envie d'être empoisonnée!
Moi non plus!
152-7

Ils ont peut-être raison ! Ça sent même dans la cuisine !
Mais oui, je n'y comprends rien !

Il faut tout jeter, il n'y a pas à tortiller !

Allez, hop ! A la poubelle, la morue !

Pas de pitié pour la potée !
152-8

Ah ! Ça me déchire le cœur !

Tom-Tom et Nana : et que ça saute !

Scénario : J. Cohen et E. Reberg - Dessins : B. Després - Couleurs : C. Legrand

Pas si bêtes que ça !

Parfait !... Cet après-midi, vous apporterez vos petites bêtes en classe...
Oh chic !
Super !
Chouette !

...Nous les étudierons et nous les dessinerons !
Moi, je n'ai rien du tout...
Moi non plus, même pas une puce !

Je vais apporter ma grenouille !
Et moi mon hamster !
Oh ! Ce qu'ils m'énervent !!
Vous allez voir ma super souris !
Je vais vous montrer mes tortues !

149-2

Tom-Tom et Nana: et que ça saute!

Nous, on apporte nos lapins nains
Et vous, alors? Rien du tout?

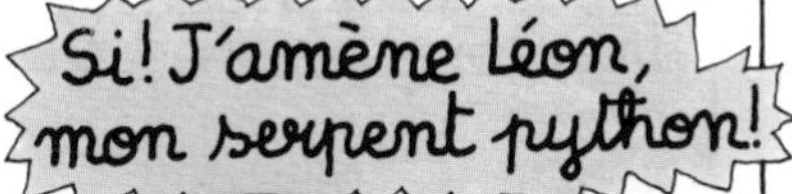

Si! J'amène Léon, mon serpent python!

Il mange deux lapins par seconde!
Ah! Ah! Ah!
Pffff...
Même pas vrai!
Concierge

N'empêche... Si on pouvait se trouver un animal!!

Je viens te chercher après manger, on va essayer...
D'ac!... A tout à l'heure!

149-9

Une demi-heure plus tard...
Et ton dessert?
Il faut que je file!

Affaire urgente! C'est pour l'école!

Viens vite, on part à la chasse!...
... A la chasse à quoi?

Au pigeon, nounouille!
Mais bien sûr! Nous sommes sauvés!

Tiens, en boilà un beau, là!
149-4

Chut!

Mais... Où va-t-il, cet idiot-là ?
Hé !
Piou-piou ! Cui-cui !...
Viens par ici !
Oh, zut !
Courons lui après !
Toc ! Toc !
Prépare la cage... Cette fois je l'ai !
Oh, pardon m'sieur !
149-5

Voyous!
BOUM!
Ils se croient dans la jungle, ces gosses!
IIIII...
WAFF!
Là, au moins, on sera tranquilles!
Et on a le choix! Il y a bien cent pigeons!
CLAC!
CLAC!

On prend celui-là, là-bas?
Trop gros! Il ne tiendra pas dans la cage...
149-6

On prend celui-ci!
Oh non! Il est tout momoche!

Regarde celui-là, avec une tache bleue !
Oh oui !
Il est à nous !
Je l'appellerai "Plumo" !
A la une, à la deux, et à la...
...TROIS !
YAOU !
OH !
Mince !
Encore raté !
Vous n'avez pas honte d'embêter les pigeons !
Si je vous y reprends, vous aurez affaire à moi !
Mais...
149-7

Et ne recommencez pas, on vous a à l'œil !
Ben... Adieu, Plumo !

De toute façon il est trop tard !
Oh, non !

On peut trouver autre chose !
Regarde !

Un beau ver de terre !
Berk !

Une mouche !
Tu parles ! Avant qu'on l'attrape !

Laisse tomber, on est en retard !
Oh ! Un homard !
149.8

C'est exactement ce qu'il nous faut !

Vite, madame, donnez-nous cette bête !
Voilà tous mes sous...
Mes pauvres cocos, il coûte plus cher que ça !
Tenez, voilà ce que vous pouvez avoir pour ce prix-là !
Ça vous fera une bonne friture pour ce soir !
Zut, en plus, le sac est percé !
Décidément on n'a pas de veine !
Tant pis... grouille-toi, on est les derniers !
ECOLE PRIMAI
149-9

Scénario : J. Cohen et E. Reberg - Dessins : B. Desprès - Couleurs : C. Legrand

Docteur miracle

Je n'y comprends rien, ils ont attrapé un virus bizarre...
C'est grave?
Où va-t-on manger maintenant?
VAXIVAXINON Visites à domicile
Le restaurant sera fermé pendant longtemps?
Un mois peut-être... à moins d'un miracle!
Pauvres Dubouchon!
Pauvres de nous!
Vous les voyez?
Oh, là, là! Ils sont dans un sale état!
154-2

J'ai au moins 50° de fièvre !
J'ai mal à la tête !
ATCHOUM !
Moi, c'est encore pire, j'ai mal à mon bonnet !
Qui veut encore de la tisane ?
CLAC ! CLAC !
DRIiiiiNG !
Le téléphone... J'y vais...
C'était tante Roberte... elle arrive !
Oh, non !
Il ne manquait plus que ça !
154.3

Dix minutes plus tard...
Alors?... On est malade et on ne prévient même pas sa gentille tante Roberte?!?
Ben... tu sais...
Euh...
...Le docteur est venu et...
Le docteur? Il n'y en a qu'un ici, c'est moi!
D'abord, qu'est-ce que c'est que ces horreurs? Vous voulez vous bousiller le foie, l'estomac et le coeur?
Mais... tu ne vas pas les jeter?
Ces médicaments ont coûté une fortune!
Oh non!
PLOUF!
154.4

J'ai tout ce qu'il vous faut là-dedans !
TAP! TAP!
Misère ! Ça commence...
Allez, hop ! Montez tous dans la chambre !
AAATCHI!
Au trot !
Là !... C'est un vrai petit hôpital !
Ne bougez plus, j'attaque les microbes !
154.5

Et on désinfecte à fond!
HOP! HOP!
PSSSHiiii!
Regardez-moi ça, ce n'est pas étonnant que vous tombiez malades!
ATCHI!
PSSHiiii!
...Avec toute cette poussière, toute cette crasse!
PSSHiiii!
Je t'en supplie Roberte, arrête! Tu me fais tourner la tête!
Tu vas te rendre malade!
Je n'arrêterai que lorsque vous serez guéris!
Suite du programme: cataplasme à la moutarde poivrée!
?!?
154.6

...Excellent contre le mal de tête!
PLOP!
PLOP!
PLOP!
PLOP!
Et pour faire tomber la fièvre, je vais vous faire suer!
Euh... ben... C'est réussi!
J'ai mis le chauffage au maximum!
Double ration de couvertures!
Oh, non!
Pitié!
Enfin, voici le remède radical et définitif!
Au secours?
Qu'est-ce que tu veux nous faire avaler?
154-7

C'est une décoction de racines... Une recette ultra-secrète!
Berk, c'est tout noir!
Ça sent une drôle d'odeur!
Avec du sucre, ça passera mieux! Je vais en chercher!
Ça ne peut plus durer, il faut se débarrasser d'elle...
...D'ailleurs, je ne me sens plus du tout malade!
Moi non plus!
Vite! Flanquez-moi tout ça dans le lavabo!
154-B

La voilà qui remonte!
PAM!
PAM!
Chut!
PFFFF!
J'amène le sucre!
C'est pas la peine! On a tout bu!
Et on est guéri tante Roberte!
Mais...
C'est toi Roberte qui a mauvaise mine... Tu es toute jaunâtre!
Ah, bon ??
Tu as l'oeil qui tombe!
Vraiment?
Montre-moi ta gorge?
Oh! Ma pauvre!
Vite! Au lit!
154.9

Scénario : J. Cohen et E. Reberg - Dessins : B. Després - Couleurs : C. Legrand

C'est Noël, on s'enguirlande

Bon, j'attaque la peinture !

Joyeux Noël
Bon

Et voilà le travail !
Joyeux Noël
Bone Fête !
Quelle honte ! Tu as fait une faute d'orthographe !

Une faute ??

155.2

Ah! Le sapin tombe!
C'est malin, tu m'as tout démoli!
BRAOUF!
Hé! Papa, maman! On vient vous...
Vous! Filez dans votre chambre!
Et remballez vos saletés!
Flosh!
BOUM!
Mais... on voulait...
Comme s'il n'y avait pas assez de désordre ici, comme ça!
Oh! Puisque vous le prenez sur ce ton, débrouillez-vous tout seuls!
155-3

Parfait ! Il n'y a plus qu'à installer les guirlandes et les boules !
Joyeux Noël
Bonne Fête pour tous
Je vais chercher la boîte de décorations de Noël !
Adrien ! Je ne la trouve pas ! Où l'as-tu rangée ?
Comme d'habitude, sous l'escalier !
Je ne la vois pas !
Ce n'est pas possible, tu es aveugle !
155-4

Tu vois des décorations de Noël,
là, toi ?
Vous les avez peut-être rangées ailleurs, monsieur Dubouchon !

Chaque année, je les mets là dans leur boîte !
Oui, eh bien, elles n'y sont pas !

... Et il est trop tard pour aller en acheter d'autres !
Et puis ça coûte la peau des fesses !

Onn'a qu'à se débrouiller avec les moyens du bord !
Oui... Essayons !
155-5

On peut faire quelque chose de très original avec tout ça!
Avec ces emballages à oeufs???
Colle
COTON

Pfff... Ça va être difficile!
Colle

Je ne suis pas doué pour le bricolage!
Colle

Allons regarde, c'est un jeu d'enfant!
Colle

Et voilà une belle boule en argent!
PLOUF!
Colle

Rappelle-toi, on faisait ça quand on était petit à l'école!
Colle

Tom-Tom et Nana: et que ça saute!

Oh, là, là ! C'est joli, mais très délicat, le papier à cabinet !
Bonne idée, le coton pour faire la neige...

...Mais franchement, si on avait cette boîte de décorations !!
Arrête de répéter ça !

D'abord, je suis sûre que les clients vont être épatés...
Bonne Fête ! pour tous

155-8

Oh!! Ce sont les enfants qui ont décoré la salle?
Mais, pas du tout! C'est...
Pour des petits, ce n'est pas trop mal...
Papa! Maman! Vite, vite, venez voir!
Qu'est-ce qu'ils ont encore fait comme horreur?!?
155-9

Scénario : J. Cohen et E. Reberg - Dessins : B. Després - Couleurs : C. Legrand

La fusée du réveillon

Que la fête commence!
Bon appétit, les amis!
Soirée privée réservée à nos meilleurs clients
Oh, bravo!
Ils sont tous sur leur 31!
Pas étonnant! On est le 31 décembre!
Mais... où est Nana?
Nana!
Je sens qu'elle nous prépare une surprise!
Vous allez voir! C'est elle la plus belle!
156-2

Tom-Tom et Nana: et que ça saute!
♪ Me voili voilà ♫ ♪
Quelle merveille!
Oh! Vision de rêve!
PAFF!
Ah!Ah! Vous avez vu sa coiffure! On dirait une frisée aux lardons!
Mais... pas du tout!
Idiot! Tu ne t'es pas regardé, toi!
Ah!Ah! Je vais lui mettre de la vinaigrette sur la tête!
Puisque c'est comme ça, je m'en vais!
Oh, non! Je t'en prie!
156-3

C'est la catastrophe! Elle s'est enfermée dans les toilettes!
On ne peut pas réveillonner sans elle!
Allons la chercher!
Ma petite Nana! Ma beauté! Sors de là!
Non! Non! Et non! Je suis très bien ici!
Nana!
Reviens parmi nous!
W.C.
Pffff...
Je t'en supplie ma perle des tropiques
TOC! TOC!
156-4

Tu es le soleil de notre fête !
Ne nous laisse pas dans l'obscurité !
Bon ! Je sortirai si Tom-Tom me fait des excuses !
Allez, Tom-Tom, fais un effort !
Ma petite soeur ! Tu es belle...
... comme... comme...
... un vieux chou-fleur !
Imbécile ! Je ne sortirai pas !
156-5

Il a dit ça pour rigoler!
Tu le connais, ton grand frère!
Tu exagères, Tom-Tom!
Si ça continue, on ne va jamais se mettre à table!
Viens, Nana! Il y a des choses merveilleuses à manger!...
...Des coquilles saint-Jacques!
Je déteste ça!
Des croustillons à la crème!...
...Des bourinettes au saumon!
Ah?
TOC!
156-6

Alors, je...
Et puis zut ! Sors ! Et tu vas prendre une de ces raclées !
Je reste !!!
Elle était prête à sortir, tu as tout gâché !
Pffff !
Tant pis mes amis ! Ça va refroidir, allons nous mettre à table !
156-7

Y a rien à faire, je n'arrive pas à avaler une bouchée!
Ça m'a coupé l'appétit à moi aussi!
Pauvre enfant! Toute seule sur son cabinet!
J'y retourne!
Moi aussi!
Moi aussi!
Nana! Nana!
On n'entend plus rien!
Elle a eu un malaise!
Tant pis! J'enfonce la porte!
Aïe!
CRAC!
C'était ouvert!
BANG!
Et il n'y a personne!
456-8

Mon Dieu, qu'est-ce qu'elle a fait ?
Où est-elle partie ?
Je crains le pire !
Fouillons la maison !
Elle n'est pas dans sa chambre !
Ni dans la vôtre !
Elle est partie dans le froid, dans la nuit !
Oh !
???
crcrcr cr cr...
Hé ! J'entends du bruit par là !
156-9

Scénario : J. Cohen et E. Reberg - Dessins : B. Després - Couleurs : C. Legrand

Tom-Tom et Nana

T'es zinzin si t'en rates un !

☐ N° 1

☐ N° 2

☐ N° 3

☐ N° 4

☐ N° 5

☐ N° 6

☐ N° 7

☐ N° 8

☐ N° 9

☐ N° 10

☐ N° 11

☐ N° 12

☐ N° 13

☐ N° 14

☐ N° 15

☐ N° 16

☐ N° 17

☐ N° 18

☐ N° 19

☐ N° 20

☐ N° 21

☐ N° 22

☐ N° 23

☐ N° 24

☐ N° 25

☐ N° 26

☐ N° 27

☐ N° 28

☐ N° 29

☐ N° 30

☐ N° 31

☐ N° 32

☐ N° 33

☐ N° 34